Le carrousel des vanités

Vincent Valade

Le carrousel des vanités

Recueil

LE LYS BLEU
ÉDITIONS

ISBN : 979-10-377-1666-8

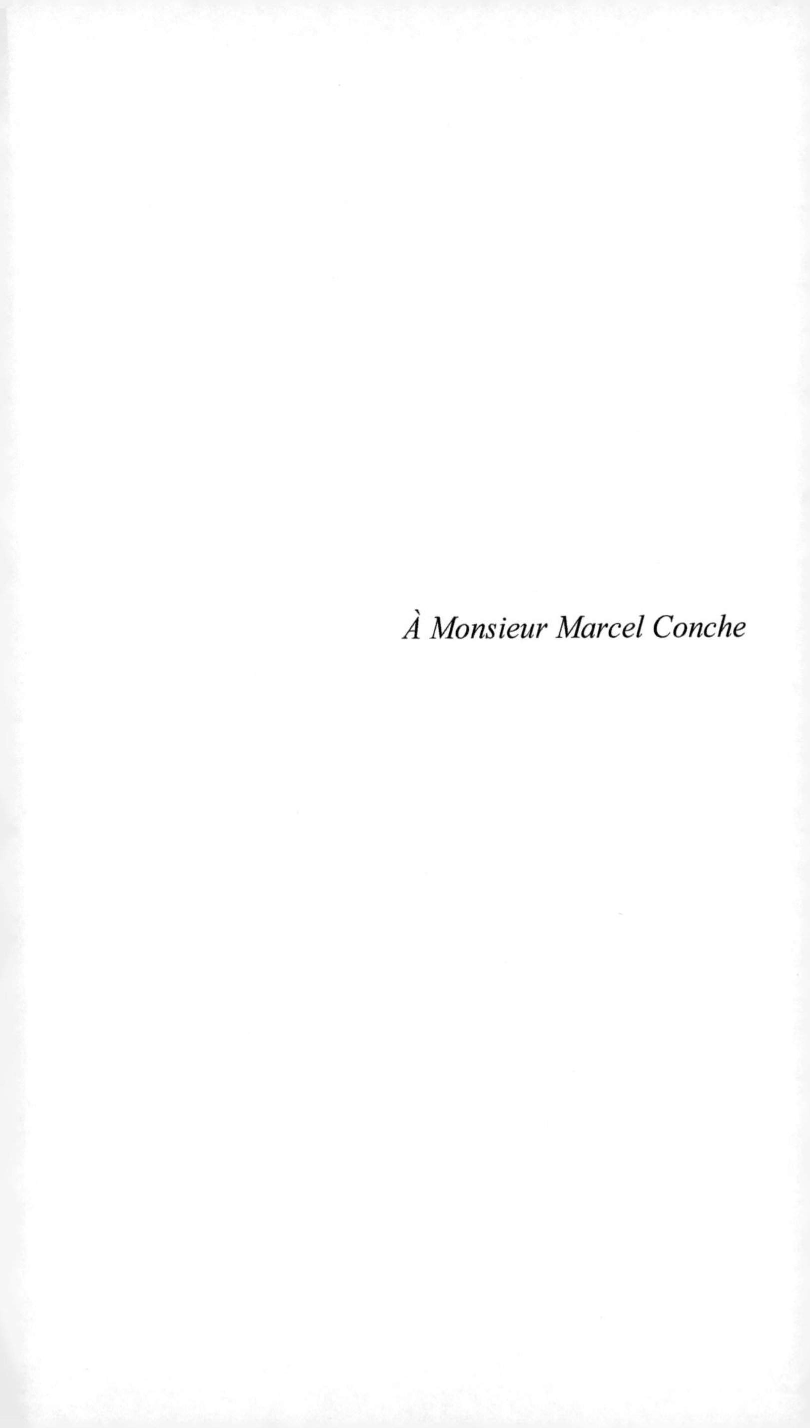

À Monsieur Marcel Conche

Photo de couverture de Patrick Chaudesaigues

« Naissance d'un Ange », Estampe numérique, Année 2006, Format 60 cm x 60 cm

Et ils acceptèrent de se laisser déposséder ; sans jamais mot dire, puisque la fibre était rongée.

Y a-t-il une urgence ? une tension émotionnelle qui contraindrait à penser quoi que ce soit ? Eh bien ! il n'y en a aucune, et cette certitude peut rendre malade.

Tout arrive par accident, sinon rien ne surgirait et en premier, le temps… D'où toute cette mauvaise volonté, cette acrimonie vis-à-vis du temps.

Un employé alignait depuis des années le long d'un mur gris et décrépi des cartons qu'il avait en charge de comptabiliser et de numéroter. Par une matinée de forte gelée, le mur se fissura, s'effondra et ensevelit de gravats le stock.

C'est alors qu'un chiffre apparut gravé sur le front de l'employé qui était la seule personne à ne pouvoir le déchiffrer.

Des écarts, des distorsions peuvent se produire. Des heures en creux, des mouvements difficiles à accomplir, des renoncements à demi pardonnés. Il est inutile de s'agiter, de se tordre. Se tordre au-dessus d'un abîme déchire le voile qui cachait une nouvelle silencieuse qui nous était somme toute destinée.

Pour les Hébreux, le Messie donnera le sens du blanc qui sépare les mots.

Les mystères s'allongent le long des précipices de l'instant.
À tire-d'aile bruit dans d'ancestraux horizons
Le mauve de la mer.

Les lentes et tortueuses sinuosités du temps engagent un moment qui se matérialise au sein de sa disparition.

Car l'homme est un astre mort. Non ?

Nombre de penseurs qu'il m'est arrivé de lire me confortent dans cette idée : c'est le défaut de penser qui incite à penser – mais aussi dans ce sentiment : l'inutilité pratique de la pensée. Cela vient probablement du fait que la pensée est une prière dégradée.

Le monde est tout ce qui se tient autour de soi.

Une civilisation qui instaure et institutionnalise le statut « d'artiste » est immanquablement une civilisation en voie de décomposition. Il faut avoir atteint les confins du stade terminal pour ne serait-ce qu'envisager la possibilité même de l'existence de « fonctionnaire de l'art ».

Cœur en avant, Flammes du dedans
Le Dehors en arrière de sa froideur.
La Juste Place.

L'homme est une flamme soumise aux vents de la destinée que l'infini attise.

L'homme se refuse : voilà son drame.

Les salines lacustres de l'endormissement planétaire
S'accroissent aux horizons dépourvus de clartés,
Intense, une femme s'agenouille en hoquetant du bassin,
Une fêlure étrange dans l'embrasure de ses seins.
Des eaux écumantes, sa Très Sainte mère l'accueille à bras ouverts avec,
Inscrits à rebours de son poitrail,
Les patrimoines célestes de la mécanique divine.
Des millénaires scandaleux s'épanchent alors le long de ce miraculeux rivage ;
Odeur d'encens et de myrrhe récolte la moisson.
De nouveaux cantiques enveloppent dès lors le corps nouveau de la Très Sainte.

Cette femme comprend que l'énigme est un buisson
ardent à franchir par-delà.
Ses cuisses, annonciatrices de forces insoupçonnées
et naissantes, laissent échapper d'une plaie cruentée
l'antique glaive marqué du sceau.
La Justice, infiniment bafouée par l'humaine
condition, surgit là de son originel tabernacle.

Les flots retirés, celui-ci administre son office.

Histoire de la raison

Les pics de santé
L'accueil du néant
La gratitude

Et puis, nous les verrons à l'œuvre.

Qui sommes-nous pour voyager,
Dans ce mobile,
En regardant en face le soleil ?
Des points élastiques de Nature se
Condensent.
L'Esprit synthétise un algorithme
D'espace.
Le Temps règne.
Un Livre de Nietzsche.

Qu'est-ce qu'une démonstration ? Une confession. Une confession que le réel ne s'adresse pas au plus grand nombre.

La vérité des premiers mots prononcés au matin.

Intercalation de la rêverie, suspension du souffle, une demande de pardon en intercession, un fonctionnement en boucle.

Pour tous ces gens qui se rendent disponibles pour le destin, qui patientent, et savent lire à la surface des cailloux immobiles chauffés par le soleil, une promesse d'aurore.

L'esprit est canalisé par le temps, se réfugie en lui ; est-ce une politesse faite au corps ?

Indemne : contre violence de la chance

Chant du soir en avance

Nous avançons le long des infrastructures en béton,
Cube unitaire de la superstition en lévitation.
Nous ne sommes plus aussi sûrs d'avoir existé naguère.
Toute cette portion de durée découpée en gestes automatiques et incantatoires,
À peine si le bruissement des feuilles provenant d'arbres bercés par le vent
Arrive à impressionner les organes perceptifs.
Tout paraît se résumer à une assimilation de données insensées.
Et c'est néanmoins le monde que l'on a promis.

Les amas surgissent d'un lieu étrange qu'il est inutile d'évoquer car leur souvenir est en perpétuelle reconstruction. Les nuits, si peu éloquentes souvent, sont caduques.

Maintenant, l'aurore peut advenir aussi souvent que nécessaire. Il n'a jamais été dit qu'il faut gémir en permanence. Être doté d'une cervelle est tout de même extraordinaire. Et le langage est là, immobile, majestueux, souverain, ne se souciant que de lui-même. Les hommes passeront, les guerres se poursuivront, mais certaines choses ne passeront pas.

Les instants disparaissent. Réapparaissent. Au bout du compte, une ligne suffit. Il se jeta, ivre de gageures lunaires, par-delà tout ce qui avait été connu jusqu'alors.

Ce fut, en un bref instant, toute une récapitulation sonore. On ne vit plus à partir de là que furies dansantes aux sombres crochets d'extases anciennes.

Des corolles de marbre souriaient aux jointures lassées d'expier. Les jeunes filles poursuivaient leur passage.

Les firmaments exténués, crus depuis bien longtemps, calcinés dans les limbes, commencèrent un ballet.

Floraison soudaine et ardente, luxe inouï de détails.

Préparer une œuvre revient à se revêtir d'un linceul imaginaire imperceptible par l'entourage si ce n'est par les irritations qu'il signe à la surface de la peau.

Les Tombeaux du temps : éloquence du son lorsqu'il est traduit en silence.

Qu'est-ce qu'une rivière ? Un éclair horizontal.

Se tenir au centre de la Lumière tout en l'observant s'éloigner peu à peu des Ténèbres.

L'animal que l'on doit être pour le dieu qu'on est.

Jamais assez silencieux pour ce vieux monde.

Au fond, nous demeurons rivés à la vanité : elle dévorera tout.

Un remède qui n'amoindrit pas n'est pas un remède.

Mais toute expérience d'existence excède tous les mots ; n'importe quel mot sauf un.

L'écriture comme contexte intégré.

Une phrase en apparence anodine peut surgir au milieu d'autres apparemment mieux placées, plus chargées de sens ; et pourtant, elle fond sur les autres comme un prédateur sur sa proie et éclaire non seulement les autres phrases mais encore le propos lui-même, de *tous les côtés*.
Ce n'est, ni plus ni moins, qu'une épiphanie.

« Le petit trou de souris » de Kafka.

Les rappels de l'horizon surgissent à des moments bien précis d'inconsistance où les abîmes forcent le lien de structure entre la littérature et le réel.

Les anges sont la manifestation des larmes versées lors d'une prière sincère.

Retournement prématuré de la parole sur elle-même. Adjonction du tout. Ce maudit Moi-Monde qui se dévore pour laisser place à la véritable solitude. Une attente qui ne fait dès lors que tourner sur et autour du vide qui lui sert d'antichambre.

Un appel marine vers l'île boréale, une écoute rassemblée en son sein et divertie des différents chatoiements de l'aurore. Une musique qui s'annonce comme la somme des écoutes qui n'ont pu avoir eu lieu faute de recueillement. Une véritable décision en attente, une partance qui n'est pas un renoncement déguisé.

Saisie momentanée des inflexions temporelles.

Nous irons par-delà les monts dorés et poserons une fleur d'ébène aux pieds des statues en flammes puis reviendrons assoupis comme au dernier jour ; un rire antique en possession unique. Des arches immobiles accosteront les ports lunaires et les corps se démultiplieront, aux aguets sous le bruissement des centenaires de relatives attentes.

Revivra sous nos yeux un temps scellé en jaillissement imprévu qui modifiera les sens et se répartiront le long de l'horizon les quatre directions cardinales de l'évolution de l'ensemble.

Par la suite redescendront nombre d'injonctions invisibles et c'est alors que les corps transfigurés reprendront place et origine au sein du cénacle.

Ainsi se déploiera la Parole.

Des destins et des vies, des vies et des destins, et des plans qui essaient de s'interpénétrer pour se relater, c'est-à-dire porter témoignage sur le plan spectral de leur infinie intersection.

Au milieu de la forêt tremblante de vent, les landes de l'oubli.

Mais ce ne sont que des histoires colportées pour endormir les enfants agités.

Au fond, rien n'est communicable.

Le rêve est la parole. La parole est un rêve.

La réduction à la phrase comme symptôme d'une stabilité critique. Le mouvement en attente de signe.

Finalement, je n'ai fait qu'assembler des mots entre eux pour figer un moment en lui conférant d'artificielles ramifications.

La répétition n'est pas une répétition. Une répétition répète en son altérité sa différence circulaire. Rien n'est rien hormis sa re-présentation. « Se présenter devant » est le mode de proposition du monde. Proposition à une configuration.

Ô Îles d'Infortunes !
Avec vos silences blancs en langue de feu !
Tressées de verre lisse !
Accompagnés du loup devant l'obélisque,
Les danseurs aux têtes retournées scandent le mot.
Temps.

Tout est réduit au silence.
Donc, tout peut se condenser en une seule phrase.

La mise à disposition alimente
Les demeures à quai foisonnantes
Les distances honorables et suffisances lactées
Et l'éloquence interne des lacunes stellaires
Au point d'aveuglement organique de l'ensemble.
Mais la Nature se situe en souvenir du futur.

Tour

« L'esprit ne peut rien imaginer et ne peut se souvenir des choses passées que pendant la durée du corps. »

Baruch de Spinoza, Œuvres complètes,
L'Éthique, Cinquième partie, Proposition XXI,
Gallimard, Bibliothèque de la Pléiade, 1954, p. 580.

Et puis, nul ne saurait dire si ce qui est effectivement vécu ne passerait pas pour un conglomérat de fictions plus ou moins pareillement ajustées.

Le bâtiment de sept étages se situait au carrefour d'une ville de douze arrondissements également étendus par leur superficie. D'aucuns rapportent que les circonstances de sa fondation suscitent encore de nos jours de nombreuses controverses chez les urbanistes d'état. L'immeuble ne présentait aucun aspect notable, les fenêtres étaient la plupart du temps closes. Il faut préciser que le climat pouvait très brusquement varier. Il n'était pas alors rare d'observer un horizon confiné où un lourd nuage sourd et circule ; invisible. Un locataire habitait au troisième étage. Deux chambres reliées par un couloir constituaient la pièce à vivre. L'aménagement était sans fantaisie si bien qu'un œil expérimenté aurait pu déceler le train de vie guindé du célibataire. Les objets occupaient leur place comme s'ils eurent dû toujours en être les dépositaires. Une mince pellicule de poussière les couronnait la majeure partie du temps.

Les deux chambres étaient agencées de la même manière ; seule l'une d'entre elles abritait une commode imposante et finement ciselée. Un de ces meubles qui traverse les générations avec le statut de trésor de famille. En son centre était posée une statuette d'ange. Elle ne représentait, pour le locataire, tant un objet de piété que l'évidence, du fait de sa place de choix, d'une dette à acquitter honorablement à l'égard de l'héritage paternel, ainsi que de l'insensible intuition que si nous n'avions pas été chassés du Paradis, il eut fallu le détruire.

Composée de porcelaine, celle-ci présentait une tête inclinée et les saisissantes particularités d'une jambe légèrement tendue vers l'avant, d'ailes sensiblement repliées ainsi que d'un doigt ostensiblement pointé.

Les soirées du locataire étaient invariablement les mêmes. Ses journées de greffier au tribunal l'incitaient à distraire son imagination une fois la nuit tombée. Mais l'effet produit par ses différentes lectures résidait en des rêves d'une inquiétante étrangeté, si bien qu'il était surpris, chaque matin au réveil, de retrouver le peu d'objets qu'il possédait systématiquement à leur place.

Mais il devait être déjà tard lorsqu'après la réception d'une lettre dont le contenu lui demanda un considérable effort d'attention et de réflexion, son environnement sembla se modifier.

Il était encore assis quand son regard balaya circulairement la pièce. Alors lui apparut un détail demeuré jusqu'à présent strictement inconnu ; le mur incrusté des contours d'une porte. Aussi étonnant était le fait que cette dernière se trouvait dans la direction indiquée par le doigt de l'ange.

Il fut à peine surpris lorsque surgit de celle-ci un extraordinaire animal formé d'une tête de lion poursuivie par un corps de renard. Il siégeait en son appartement ; immuable, puissant, serein. D'aucuns auraient pu dire qu'il était son appartement et qu'il étendait sa présence, allant par le couloir de l'une à l'autre des chambres.

Maintenant, il se tenait face à lui. Alors que ce surnaturel animal sembla remuer ses lèvres et qu'il crut discerner de ses yeux un regard inquisiteur, comme si cette forme mythologique eut à le questionner, le locataire ne put rien entendre. Peut-être se put-il qu'aucune question ne fût formulée.

Ainsi, une larme coula le long de sa joue puis, pris de vertige, il tomba vers l'arrière de sa chaise si bien que sa jambe fut projetée vers l'avant. Un bruit sourd se fit entendre quand sa tête heurta le sol et que l'un de ses doigts et son cou se brisèrent.

Il ferma doucement les yeux comme si la mort ne dut jamais le surprendre, tant il fut de toujours prêt à être ravi.

Au fond, la vie se déploie au carrefour des violences fondamentales. Elle commence par un cri, se déroule en silence malgré le bruit incessant, et se termine par un cri, de révolte ou étouffé ; peu importe.

C'est comme ça, terrible – et sans rien de terrible.

Comme si les racines du ciel, autour de la Terre errante, durent conserver en leur sève la lumière d'ailleurs procédant du cercle de la pleine lune.

Comme une phrase musicale.

Sentence

Si vous croyez que les superstructures politico-économiques soutiennent et prolongent la vie,

Si vous croyez qu'un corps se réduit à un assemblage complexe d'os, de viscères, de muscles et d'eau,

Si vous croyez que la plupart des évènements sont justifiés,

Si vous croyez appréhender le monde avec vos sens alors qu'ils ne sont qu'une interface,

Si vous croyez que la science épuise le domaine du connaissable,

Si vous croyez penser lorsque les calculs incessants ne parviennent plus à vous calmer,

Si vous croyez que le libre usage de la naissance ressortit à un mythe évanoui,

Si vous croyez que la configuration concentrationnaire s'est éteinte à l'arrivée des troupes du Général Patton à Ohrdruf,

Si vous croyez que le Diable, par définition Légions, peut parvenir à rendre les hommes pires qu'ils ne le sont,

Alors, vous êtes modernes.

Vous êtes le dévoilement.

Vous êtes ; l'Apocalypse.

Comme une jonquille de métal au milieu d'une fonderie alpine.

On ne revient sur ses doutes qu'après que le corps y a accolé le plus sévère des démentis.

La respiration est une suffocation improvisée.

On ne se relève de ses cendres qu'intégralement calciné.

Ils tergiversent sur tout ; sauf sur l'inessentiel.

Toisés par les rives indolores
et puissantes
Ravis aux quatre vents par l'embrasure
qui s'octroie
Tu souris, aimable engeance d'apparition,
Et c'est toi qui reparais ici et là
À la croisée du sommeil insensé
Connais-tu l'histoire de tous ces hommes
Frustrés qui n'ont pas su partir à temps ?
Parvenue saline, hoquetant aux portes splendides,
Un rêve semblable.

Ô, mon âme, ne sois pas trop vindicative.
Laisse les pluies de métal affleurer à ta surface
Et tiens bon devant les ancêtres et l'héritage.
Endure, s'il est nécessaire, tous les nobles et dignes
sacrifices.
Il sera toujours temps de succomber
Il est toujours temps de succomber.
Reste donc apaisée et attends sans plaintes le soir tomber infiniment.
Il sera toujours temps de se présenter
Toujours temps de se retirer en l'abri du sceau.
Toujours, toujours.

Ils naviguèrent sous d'étranges auspices et restituèrent des fragments compacts d'invasion. Ils finirent par solder un compte dématérialisé pour se récupérer d'un ailleurs qui ne s'en réclame pas.

Leur vision n'étant qu'un pont vers l'espace ; le temps transfiguré en espace.

Après l'archiconfrérie de la bonne Mort,
À la lumière des splendides palais,
L'aube scintillante à jamais. *Verramour*.

Là, ils s'ouvrirent et engendrèrent des générations
Puis redescendirent en amont saliver vers la grève.
Et ils ne virent pas mais devinèrent.

La beauté demeurait affligeante mais muette.
Les moments défilaient, impérissables en leur centre d'inflexions ;
D'irréprochables nœuds appelaient à une mise en forme.
C'en fut de ces temps où la nature convolait.
Il ne se rendit pas compte qu'il parlait à des personnes absentes puisque tous, autour de lui, étaient morts.

Tendre est la nuit lorsque tu rugis dans les limbes et attends, coiffée au poteau, les promesses savoureuses.
Nous n'avions rien demandé et tout obtenu, rage des rages.
Nous voilà désormais fermés aux quatre vents.

Lorsque l'accomplissement est aussi élégant ; reste la symphonie.

Doute, doute, doute et résurgence amère
Aux quatre coins, le cercle éclaté
Un songe en attente
Juste mesure de l'opérant
Royauté de la note redoublée
L'esprit en sa pleine puissance
Reposant en son creux.

On ne le dira jamais assez… Et c'est bien la raison pour laquelle le plus grand nombre « passe à côté » : « Et la lumière luit dans les ténèbres, mais les ténèbres ne la saisissent pas. ».

Ils ne savent exactement
combien de temps
cela puit mais
ce fut une
excellente portée
Ce fut une excellente
portée.

Ils ne souffrirent pas l'exception.
Ils dévorèrent avidement l'exception.
Tout semblait périr.
Sauf ce qui était retenu.

Transfigurations aveugles
Le point d'achoppement.
L'ultime présence ici-bas
Comme un redoublement du silence
Qui s'ouvre évasivement en point d'orgue.

Ils avaient été séparés par les marchands du Temple.
Les voilà désormais réunis à nouveau ici-bas pour
préparer le non-avenu sommeillant dans l'origine

depuis toujours. Grand était le péril, et demeure ; né de la couronne
Et saluant le salut.

S'ensuit une suture tuméfiée empruntée d'une riante fortune
Lorsque le marché des ombres tient place à l'endroit exact de la disparition.
Ils rêvèrent une insanité.
Ils appliquèrent le mensonge
Et appelèrent cela : « bonheur ».
Un instantané en friche démise.

Dans la chambre noire s'agglutinent les monstres de toutes espèces
Dans la chambre noire, radieuse comme en plein jour, se prépare le point initial de toute destruction
Dans la chambre noire, à tâtons rompu, on bavarde avec une projection spectrale qui n'est qu'un simulacre
Dans la chambre noire ; on étouffe, on respire
Dans la chambre se dresse le tronc millénaire
Dans la, prolégomènes de la mort
Dans, Hors
Centre, Sphère.

Il sombrait des comètes sur la corolle opaque des ans…

Il faudra donc rester rivé à ce conglomérat fluctuant
pour
ne plus entendre cette abjecte cacophonie.
Il se peut que nous disparaissions avant terme.
Il se peut que nous soyons transvalués dès
maintenant en une mouture bio-ionique qui pré-
figure la sublimation du genre
Humain.
Le Cauchemar n'est-il pas produit pour sauver le
Rêve ?

Regarde mon âme ! Et contemple !
Contemple les facultés, les facultés de marbre.
Rien ne peut leur être retranché ou ajouté sans
Qu'elles demeurent équivalentes à elles-mêmes ;
C'est-à-dire Hors de portée du calcul !
Stable Royauté !

À une nation
Tout, chez toi, est spirituel.
C'est pourquoi nous sommes pauvres.

Archéologie horizontale : la plus ardue.

Ils avaient colonisé et extirpé le temps et l'espace de son ancrage *hors-sol*.

Il y a dans toute mesure, une démesure qui s'ignore.

Nature : dehors du dedans du corps ?

Comme ils rugissaient de mille feux au ciel écarlate
Et que la main-mise se poursuivait, un *triumvirat*
D'esprits se révoltèrent cruellement et firent tomber
Les dernières cloisons.
Ils commencèrent l'audace inédite des nouveaux
corps mais il était encore trop tôt.
La croix apparut, scintillante et radieuse ; elle
explorait à travers les hommes les multiples et
infinis recoins d'elle-même.
La division ne cessait donc pas d'advenir.
Souvenir et projection immédiate d'elle-même
suivant le cercle éternellement recommencé.

Il était partout dit que cette abjection pouvait être
atrocement divine
Mais nul n'y avait prêté attention si bien
que les sceaux se défirent et laissèrent se
manifester toute la colère des esprits hurlants
Des fléaux encore inouïs s'abattirent et s'en fut,
fut de l'humaine prétention à régner
Car sa grandeur était insoluble et sa colère
paroxystique.
Car toute gloire doit être rendue en son temps

Où esprit et nature convolent vers et en l'infini.
Sa grâce n'a pas besoin des hommes.

Ils concevaient d'étranges révolutions de l'esprit sans que rien ne soit au demeurant affecté. Tel était un destin. Ils demeurèrent à quai puis larguèrent les amarres, sûrs de ne jamais revenir qu'à l'endroit qu'ils avaient quitté jeunes, mais dès lors plus vieux.

Une lumière existant dans une lumière.

Mystère des Mystères : la sédimentation et segmentation d'instincts disparates.

« L'affaire de la pensée » en restera une tant que la mélodie secrète se contorsionnera le long d'une infinité de circonvolutions autour de l'axe du silence.

Ne vous inquiétez pas. On s'occupera bien de vous.

Certains récusent l'exception comme une « damnation ». D'autres la prirent en charge et ne furent dès lors qu'un relais. L'expression du fond emprunte des masques multiples et imprévisibles par essence.

Effet secondaire de la matière.

Comme pour se rappeler à une nécessité facultative…

« Un petit pas pour l'homme ; mais un grand pas pour l'homme. »

Vous refermerez toutes les écluses le temps que nous survivions aux espaces confus et retournerez marier l'impossible à l'effectif.

Écloraison

Alors que j'errais, foudroyé, dans la ténèbre ardue de la perdition, de laquelle s'écoulaient de fines lumières ; apparut une fleur d'or ciselée aux entournures d'un gage.

Je me baissai puis tentai de la cueillir. Elle se tordait autour d'un axe invisible et froid. D'étincelants et dentelés pétales s'évanouissaient de ses tiges.

Confiné à l'arrière-plan, un oiseau commença à se mouvoir puis à fondre vers un enfant qui, désormais, dialoguait avec la fleur. Laquelle se courbait de rire.

Soudain, l'oiseau atterrit, se redressa, saisit vivement un pétale qu'il plaça dans son bec en hoquetant, puis le tendit à l'enfant.

Celui-ci le présenta sur-le-champ à la fleur qui se mit instantanément à resplendir.

Il en va de la lumière comme de l'ombre.

Chacune s'accomplit en s'ignorant.

Ils avaient décidé de ne plus suivre les lignes du programme.
Bien sûr, le programme sait se venger, le programme sait et peut tuer.

Le programme tue puisqu'il ne fait que calculer.

Et il nous appartiendra de ne plus nous appartenir.

Isolé comme en plein jour

Une dé-marche n'en devient résolument une que lorsqu'elle vous prive de tout.
Sauf de l'essentiel.

Ils arrivèrent bien trop tard pour prétendre et trop tôt pour espérer.

La juste mesure en surplomb de la jointure tombée inverse.

La clef de toujours en avant d'elle-même.

Et ils ne virent rien arriver jusqu'à ce que tout soit accompli.

Fugues à la Délivrance
Quand sert l'Anaphasie

Enrubannée,
Et que le Calice, bicéphale et vibré,
Par l'Angine,
Cherche les transports.

Laissez-moi être juge de moi-même ; laissez-vous être jugés par ce que vous faites apparaître.

À la jointure toujours
S'écoule d'une chute,
Doux mais puissant,
Le Cliquetis des saisons :
Rais de lumière sur
Les laies du matin.
Gratitude

Se tenir debout face à la fenêtre ; regarder au-dehors puis tout récupérer dans un même mouvement.

Qu'est-ce qui apparaît comme ce qui donne de l'importance au plus important à faire ; de nos jours ?

« [1…3]

4

Le point, une montagne
monte sans agir,
intelligence !
Le chemin te conduit
dans un désert merveilleux,
au large, si loin,
d'une étendue sans mesure.
Le désert n'a
ni temps ni lieu,
sa manière d'être est étrange.

5

Le désert, un bien
qu'aucun pied n'a parcouru,
le sens créé
n'y est jamais parvenu :
cela est et pourtant personne ne sait quoi.

C’est ici, c’est là
c’est loin, c’est près
c’est profond, c’est haut
c’est ainsi
que ce n’est ni ceci ni cela
6
C’est lumineux, c’est clair
c’est tout sombre,
c’est innommé,
c’est inconnu,
libre du commencement comme de la fin,

cela se tient tranquille,
nu sans vêtement.
Qui sait sa demeure ?
Qu’il en sorte
et nous dise quelle est sa forme.

[7…8] »

Maître Eckhart, *Sermons, traités, poème*, Poème,
p.841, Éditions du Seuil, 2015.

L'arche

La baie leveuse de barrières et pourvoyeuse d'afflux de tendresse réelle, dessine un horizon arrivé de toujours, qui s'en ira partout.

Initié au noir Mystère, j'ai vu l'enfer des femmes là-bas et puis désormais rire de tous ces couples menteurs et leur vieille amour mensongère.

Roué pour le confort et doué pour la science qui ne pense pas, les chimères concrètes acclament cette nouvelle science où tout vient à son tour. Telle est son excellence.

Bien sûr, les calculs de côté, l'inévitable descente du ciel, et la visite des souvenirs et la séance des rythmes occupent la demeure, la tête et le monde de l'esprit.

Deux guerres mondiales n’ont rien réglé. La guerre spirituelle étant au moins aussi brutale que la bataille d’hommes, le surprenant est le simple. Ce qui fait le propre de l’art. À savoir préparer la pensée et la poésie à une disponibilité pour l’apparition du dieu ou pour l’absence de dieu dans notre déclin. Que nous ne fassions pas que crever.

Seulement un dieu peut encore nous sauver.

On a voulu m’enterrer. J’ai esquivé.

Bonsoir.

Emma

Sous l'anodine apparence d'un regard,

Azuré,

Emma tire les flèches chatoyantes de son indécision.

Les lots de chairs lui hurlent leur complaisance.

Elle passe, autour de vous, affûtant son

Sous-rire.

Et vous vous rendez compte d'avoir surpris le sillage d'une

Fée.

Table des matières

Histoire de la raison 15
Chant du soir en avance 17
Tour.. 23
Sentence 27
Écloraison.. 38
« [1…3].. 41
L'arche 43
Emma 45

Imprimé en Allemagne
Achevé d'imprimer en octobre 2020
Dépôt légal : octobre 2020

Pour

Le Lys Bleu Éditions
83, Avenue d'Italie
75013 Paris

LE LYS BLEU

ÉDITIONS